VOUS N'AUREZ PAS MA HAINE

Antoine Leiris

# Vous n'aurez pas ma haine

Fayard

Couverture : Antoine du Payrat

ISBN : 978-2-213-70129-5

« Je l'ai cherchée partout.

– …

– Est-ce qu'il reste des gens là-bas ?

– Monsieur, il faut vous préparer au pire. »

Une nuit en barbarie

13 novembre
22 h 37

Melvil s'est endormi sans un bruit, comme d'habitude lorsque sa maman n'est pas là. Il sait qu'avec papa les chansons sont moins douces et les câlins moins chauds, alors il n'en demande pas plus. Pour me tenir éveillé jusqu'à ce qu'elle revienne, je lis. L'histoire d'un romancier enquêteur qui découvre qu'un romancier assassin n'a en fait pas écrit le roman qui lui avait donné envie de devenir romancier. De retournement en retournement, je découvre que le romancier assassin n'a en fait tué personne. Tout ça pour ça. Mon téléphone posé sur la table de nuit retentit.

« Coucou, tout va bien ? Vous êtes chez vous ? »

Je n'ai pas envie d'être dérangé. Je déteste ces messages qui ne disent rien. Pas de réponse.

« Tout va bien ? »

…

« Vous êtes en sécurité ? »

Comment ça « en sécurité » ? Je pose le livre, me précipite dans le salon sur la pointe des pieds. Il ne faut pas réveiller bébé. J'attrape la télécommande, la boîte à horreurs met un temps fou à s'allumer. Attentat au Stade de France. Les images ne disent rien. Je pense à Hélène. L'appeler, lui dire qu'il serait plus prudent de prendre un taxi pour rentrer. Mais il y a autre chose. Dans les couloirs du stade, certains sont figés devant un écran. Je ne découvre les images qu'au travers de leurs visages. Ils semblent effarés. Ils perçoivent quelque chose que je ne vois pas. Pas encore. Puis, en bas de mon écran, le bandeau qui défile trop vite s'arrête soudain. La fin de l'innocence.

« Attentat au Bataclan. »

Coupure son. Je n'entends plus dans ma poitrine que mon cœur qui tente de s'échapper. Ces deux mots résonnent dans ma tête comme un écho qui semble ne jamais vouloir se terminer. Une seconde comme une année. Une année de silence, plantée là, dans mon canapé. Ce doit être une erreur. Je vérifie que c'est là qu'elle est allée, je peux me tromper, avoir oublié. Le concert est bien au Bataclan. Hélène est au Bataclan.

Coupure image. Je ne vois plus, mais je sens une décharge électrique qui me traverse le corps. J'ai envie de courir, de voler une voiture, d'aller la chercher. Il n'y a plus que l'urgence qui brûle à l'intérieur de mon crâne. Il n'y a plus que le mouvement pour calmer ses flammes. Mais je suis paralysé car Melvil est à côté, et je suis coincé ici. Condamné à regarder l'incendie se propager. J'ai envie de crier. C'est impossible, il ne faut pas réveiller bébé.

J'attrape mon téléphone. Je dois l'appeler, lui parler, entendre sa voix. Contacts. « Hélène », simplement Hélène. Je n'ai jamais changé son nom dans mon répertoire, jamais ajouté de « mon amour » ou de photo d'elle et moi pour l'illustrer. Elle non plus. C'est un appel d'« Antoine L. » qu'elle n'a jamais reçu ce soir-là. Sonnerie. Messagerie. Je raccroche, recommence, une fois, deux fois, cent fois. Autant qu'il le faudra.

Je me sens étouffé par ce canapé qui se referme sur moi, l'appartement entier est en train de s'effondrer. À chaque appel sans réponse, je m'enfonce un peu plus profondément dans les décombres. Tout me paraît étranger. Le monde autour s'efface. Il n'y a plus qu'elle et moi. D'un coup de téléphone, mon frère me rappelle à la réalité.

« Hélène est là-bas. »

À l'instant où je prononce ces mots, je comprends qu'il n'y a pas d'issue. Mon frère et ma sœur débarquent dans notre appartement. On ne sait pas quoi se dire. Il n'y a rien à dire. Ça n'a pas de nom de toute façon. Dans le salon, la télévision est allumée. On attend, les yeux rivés sur les chaînes d'information en continu qui ont déjà lancé le grand concours du titre le plus racoleur, le plus pervers, celui qui nous maintient captifs, spectateurs d'un monde qui se délite. « Massacre », « carnage », « bain de sang ». J'éteins l'écran avant que le mot « boucherie » ne soit prononcé. La fenêtre sur le monde est fermée. Place à la réalité.

La femme de N. me téléphone. Il était au Bataclan avec Hélène. Il est hors de danger. Je l'appelle, il ne répond pas. Une fois. Deux fois. Trois fois. Enfin, il décroche. La mère d'Hélène nous rejoint.

Il faut agir, faire quelque chose. J'ai besoin de sortir, vite, au moins autant pour la retrouver que pour échapper à l'armée de non-dits qui a pris ses quartiers dans mon salon. Mon frère ouvre la voie. En silence, il attrape les clés de sa voiture. On chuchote un plan d'action. Derrière nous, la porte se ferme sur un battant de coton. Il ne faut pas réveiller bébé.

La chasse au fantôme peut commencer.

Dans la voiture, on ne parle pas. La ville autour non plus. Une sirène vient parfois troubler, avec ses hurlements de douleur, le silence qui est tombé sur Paris. La fête est terminée. La fanfare s'est tue. Nous allons vérifier un par un chaque hôpital susceptible d'accueillir des blessés. Hôpital Bichat, hôpital Saint-Louis, la Salpêtrière, Georges-Pompidou, ce soir-là, la mort a essaimé aux quatre coins de la capitale. Un de ses guichetiers m'attend à chaque arrêt. « Je cherche ma femme qui était au Bataclan. » Son nom n'est sur aucune liste. Mais à chaque fois on me donne ce que je cherche, une nouvelle raison de continuer. « Tous les blessés ne sont pas répertoriés. » « À Bichat aussi, ils ont accueilli des rescapés. » « Il y en a même qui ont été pris en charge dans des hôpitaux de banlieue. » Je laisse mon numéro en sachant qu'on ne me rappellera pas. Cours à la voiture. Le silence de la route me manque.

Les lampadaires défilent au bord du périphérique. La nuit avance. Chaque lumière est une étape de plus vers l'hypnose. Mon corps ne m'appartient plus. Mon esprit est à la route. À force de tourner en rond sur cette ceinture trop serrée, qui étouffe la ville dans son étreinte, il va bien finir par se passer quelque chose.

Même lorsqu'il n'y avait plus rien à chercher, nous avons continué. J'avais besoin de m'échapper. Fuir le plus loin possible, ne pas faire demi-tour. Aller au bout de la route pour voir s'il y a un bout, une fin à tout ça.

Je l'ai vue, la fin de la route.

Elle s'est inscrite sur mon téléphone lorsque celui-ci a sonné le réveil. Sept heures du matin.

Melvil prend son biberon dans une demi-heure. Il doit dormir encore. Le sommeil d'un bébé ne s'encombre pas des horreurs du monde.

Il faut rentrer.

« Prends la sortie porte de Sèvres... »

L'attente

14 novembre
20 h 00

Melvil attend. Il attend d'être assez grand pour actionner l'interrupteur de la lumière du salon. Il attend d'être assez sage pour sortir sans poussette. Il attend que je prépare le dîner avant de lui lire une histoire. Il attend l'heure du bain, du déjeuner, du goûter. Et ce soir, il attend que sa mère rentre avant d'aller se coucher. L'attente est un sentiment qui n'a pas de nom. À l'heure où je lui lis une dernière histoire, elle les porte tous à la fois. Elle est chagrin, espoir, tristesse, soulagement, surprise, effroi.

J'attends, moi aussi. Une sentence. Quelques hommes en colère ont fait entendre leur verdict à coups d'armes automatiques. Pour nous, ce sera la perpétuité. Mais je ne le sais pas encore. On chante avant d'aller dormir. On se dit qu'elle va passer la porte de la chambre et reprendre avec nous le dernier couplet. On se dit qu'on va bien finir par nous appeler. On se dit qu'on va bien finir par se réveiller.

Melvil s'est endormi. Le téléphone sonne. C'est la sœur d'Hélène.

« Antoine, je suis désolée… »

# La coccinelle

15 novembre
17 h 00

Après la promenade, c'est le moment de se détendre. Plus tard il y aura le bain, les soins, le dîner, puis le coucher. Ce jour-là, je le sens énervé, son mal, sans mot encore, transpire dans chacun des petits tracas insignifiants de sa vie de bébé. Le biscuit est un peu mou, il ne veut plus le manger. Le ballon est parti trop loin, il ne veut plus jouer. La ceinture de la poussette est trop serrée, il ne veut plus y rester. Il se débat avec toutes ces choses qui se bousculent en lui, et qu'il ne comprend pas. Bouillonnement innommable qui lui vole sa curiosité naïve de petit garçon. Quel est ce sentiment inconnu qui lui donne envie de

27

pleurer alors qu'il n'a pas faim, pas mal, ou pas peur ? Sa mère lui manque, deux jours déjà qu'elle n'est pas rentrée. Elle ne l'avait jamais quitté plus d'une soirée.

Pour le calmer, je l'envoie chercher une histoire dans sa chambre. Sa bibliothèque y est en évidence, à sa hauteur, peuplée de ces personnages qui ont le nom des sentiments qu'ils incarnent, Heureux, Rigolo, Grognon… Il y a aussi un éléphant qui a très envie de grandir. Une petite souris de tissu dans laquelle je glisse mon doigt, et qui, page après page, tente d'échapper au chat qui la poursuit. Elle se cache finalement dans un pot de fleurs et demande un bisou « bonne nuit » que Melvil ne lui refuse jamais.

Ce jour-là, il revient de sa quête, un sourire à six dents, avec le livre qu'il aime lire avec sa mère. C'est l'histoire d'une jolie coccinelle dans un merveilleux jardin. Tous les insectes qui y butinent admirent sa bonté. C'est la plus belle et la plus sage. Sa maman en est si fière. Mais, un jour, cette petite coccinelle se pose par hasard sur le nez crochu d'une sorcière.

Melvil n'a jamais su que la gentille coccinelle était transformée en vilaine coccinelle par cette mauvaise fée. Inquiète qu'elles puissent l'effrayer, Hélène avait pris l'habitude de sauter ces pages où le coléoptère rouge à pois noirs, une araignée et un crapaud pour complices, terrorisait le jardin d'habitude si tranquille. Celle qu'il retrouvait chaque soir ne rencontrait jamais le nez de la méchante sorcière.

Dans le creux de son lit, seule apparaissait la fée qui, d'un coup de baguette magique, rendait sa beauté et sa gentillesse au petit insecte. Ce jour-là, j'ai moi aussi sauté ces pages-là. Mais en voyant apparaître la fée, sa robe étoilée d'un bleu dont on tapisse les rêves, son sourire serein, de ceux qui connaissent déjà la fin de l'histoire, je me suis arrêté net.

Melvil ne pourra pas passer ces pages de sa vie comme elle passait les pages de l'histoire. Je n'ai pas de baguette magique. Notre coccinelle s'est posée sur le nez de la sorcière, elle avait une Kalachnikov en bandoulière et la mort au bout du doigt.

Il faut lui dire, maintenant, mais comment ?

Maman, papa, tétine. Melvil ne dit que trois mots, pourtant il comprend tout. Le prendre entre quatre yeux et lui dire : « Maman a eu un accident grave, elle ne pourra plus revenir », ce serait lui raconter avec des mots d'adulte une histoire de grand, l'empêcher de saisir au-delà de nos mots ce qui le touche, la tuer une deuxième fois. Les mots ne suffisent pas.

Il s'agace, trépigne, jette ses livres par terre. Il est sur le point de craquer. Je prends mon téléphone pour lui passer les chansons qu'il écoutait avec elle, le doigt dans la bouche, serpentant entre ses bras comme une couleuvre câline.

Je le colle contre mon corps, coincé entre mes jambes, pour qu'il me ressente, qu'il me comprenne. Il a passé neuf mois dans le ventre de sa mère à l'écouter vivre, son cœur battait le rythme de ses journées, ses mouvements étaient un voyage, ses paroles la musique de sa vie naissante. Je veux qu'il entende, l'oreille collée à ma poitrine, ma voix lui dire mon chagrin, qu'il sente mes muscles tendus par la gravité de l'instant, que les battements de mon cœur le rassurent, que la vie continuera. Je lance sur le téléphone la playlist que sa mère lui a confectionnée.

Elle en avait choisi avec soin chacun des morceaux, comme autant de ponts entre ses oreilles de bébé et les harmonies des grands. Salvador et sa « Chanson douce » y côtoient Françoise Hardy et son « Temps de l'amour », une ode à la lune y éclaire la « Berceuse à Frédéric » de Bourvil. C'est sur les premières notes de celle-ci que j'ouvre le dossier « Photos ». Son visage apparaît, flou, mal cadré, il n'en faut pas plus pour sortir Melvil du confort instable dans lequel l'avaient plongé les premières paroles de sa chanson. « Allez, faut dormir maintenant… petit petit Frédéric… j'ai trouvé cette musique… que je mets comme un cadeau… au fond de ton berceau. »

Il la désigne immédiatement d'un doigt anxieux, se tourne vers moi, le sourire inversé et des larmes chaudes au bord des yeux. Je m'effondre, lui explique comme je peux que sa maman ne pourra pas revenir, qu'elle a eu un grave accident, que ce n'est pas de sa faute, qu'elle aurait aimé être avec

31

lui, mais qu'elle ne pourra plus. Il pleure comme je ne l'ai jamais vu pleurer. La douleur, la peur, la déception, un caprice avaient déjà fait couler quelques larmes.

Là, c'est autre chose, son premier chagrin, la première fois qu'il est triste pour de vrai.

Les photos défilent, les notes de musique se font plus cinglantes. On est comme deux enfants, penchés sur une boîte à musique qui joue l'air de notre vie, pleurant tout ce qu'il nous reste de larmes. C'est normal que tu sois triste, tu as le droit d'être triste, papa aussi est triste, quand ça va pas, tu viens me voir et on ira regarder les photos. La chanson se termine. « ... N'oublie pas cette musique... que je t'ai donnée un jour... avec tout mon amour... » Les souvenirs effacent peu à peu le manque, le défilé de photos devient un jeu. Là c'est Melvil, là c'est maman. Nous en reparlerons de toute façon.

L'histoire de la petite coccinelle se termine lorsque, redevenue la plus jolie coccinelle du jardin, elle retrouve sa maman pleurant à la joie de retrouver sa petite fille.

Lui annoncer n'est que le premier pas du long chemin qui nous attend. La sorcière est passée, il faudra maintenant lui expliquer, chaque fois qu'il en aura besoin, pourquoi sa maman ne l'attend pas à la fin de son histoire.

Je déchire la page du livre, l'épingle à côté d'une photo d'elle, et lui accroche dans sa chambre. Melvil lui tient les épaules en s'allongeant sur le dos, son sourire est un éclat de printemps, ses cheveux lui reviennent devant les yeux.

Elle me regarde, pas de pose, pas d'objectif, c'est à moi qu'elle s'adresse. Ses yeux me racontent la joie simple de ces dix-sept mois passés ensemble, tous les trois.

Ça aurait pu être...

16 novembre

9 h 30

Melvil est à la crèche. Ce lundi matin dans un bar-tabac du XV<sup>e</sup> arrondissement, les gens ont le teint gris et les rêves brisés. BFM tourne en boucle sur l'écran où tous les yeux disponibles s'agglutinent, cherchant de quoi alimenter une conversation qui ne peut s'arrêter à l'habituelle diatribe sur le montant des impôts ou les ravages de la grippe. Nous sommes lundi, et tout le monde ne parle que de vendredi.

« Un café serré ! »

Je dois aller voir Hélène ce matin à l'Institut médico-légal. À côté de moi, deux hommes, entre 45 et 50 ans, le regard fatigué d'en avoir trop vu, discutent de ce dont j'aimerais ne pas entendre parler. Rien ne sert d'éviter une conversation lorsqu'on s'installe au zinc, elle s'impose à vous. D'habitude, c'est un plaisir, solitaire, s'incruster le temps d'un café dans un morceau de vie de quelqu'un d'autre. Aujourd'hui, c'est ma vie qui est en morceaux.

J'ai beau détourner le regard pour ne pas entendre, quelques mots parviennent à transpercer la vapeur de la machine à expresso.

« … Faut pas que toutes ces morts soient inutiles… »

Parce qu'il y a des morts utiles ?

Ça aurait pu être un chauffard qui oublie de freiner, une tumeur un peu plus maligne que les autres ou une bombe nucléaire, la seule chose qui compte, c'est qu'elle ne soit plus là. Les armes, les balles, la violence, tout ça n'est que le décor de la scène qui se joue réellement, l'absence.

Peu de gens comprennent que je passe si vite sur les conditions dans lesquelles Hélène a été tuée. On me demande si j'ai oublié ou pardonné. Je ne pardonne rien, je n'oublie rien, je ne passe sur rien et surtout pas si vite. Lorsque chacun sera retourné à sa vie, nous vivrons toujours avec. Cette histoire, ce sera notre histoire. La refuser serait se renier. Même si son corps osseux a la froideur d'un cadavre, son baiser le goût du sang encore chaud et ce qu'elle me murmure à l'oreille la beauté glaçante d'un requiem funèbre, je dois l'embrasser. Je dois entrer dans cette histoire.

Bien sûr, avoir un coupable sous la main, quelqu'un sur qui l'on peut reporter sa colère, c'est une porte entrouverte, une occasion d'esquiver sa souffrance. Et plus le crime est odieux, plus le coupable est idéal, plus la haine est légitime. On pense à lui pour ne plus penser à soi, on le déteste lui pour ne pas haïr sa vie, on se réjouit de sa mort pour ne plus sourire à ceux qui restent.

Ce sont peut-être des circonstances aggravantes, et encore. Les circonstances aggravantes, c'est pour les procès, pour quantifier la perte. Mais on ne compte pas les larmes et on ne les sèche pas sur la manche de la colère. Ceux qui n'ont personne à blâmer sont seuls avec leur chagrin. Je me sens de ceux-là. Seul avec mon fils qui me demandera bientôt ce qui s'est passé ce soir-là. Que pourrais-je lui dire si j'ai confié la responsabilité de notre histoire à un autre ? Si c'est vers cet autre qu'il doit se tourner pour comprendre ? La mort attendait sa mère ce soir-là, eux n'étaient que des ambassadeurs.

D'une rafale de mitraillette, ils ont dispersé notre puzzle. Et, lorsque pièce après pièce nous le recomposerons, ce ne sera plus le même. Il manquera quelqu'un sur le tableau, il n'y aura plus que nous deux, mais nous prendrons toute la place. Elle sera avec nous, là, invisible. C'est dans nos yeux qu'on lira sa présence, dans notre joie que brûlera sa flamme, dans nos veines que couleront ses larmes.

Nous ne reviendrons jamais à notre vie d'avant. Mais nous ne construirons pas une vie contre eux. Nous avancerons dans notre vie à nous.

« Un autre, s'il vous plaît, et je vous règle !

– C'est quand même fou ce qui s'est passé...

– ... Je n'ai pas eu le temps de m'en occuper. Ma femme n'était pas là ce week-end et j'avais mon bébé avec moi. Mais je vais la retrouver maintenant. »

La retrouver

16 novembre
10 h 00

On devrait distribuer des gilets fluorescents à tous ceux que l'on a envie d'éviter. Le soutien psychologique en a ce matin-là, ce qui me facilite la tâche. Je ne veux pas leur parler. J'ai l'impression qu'ils veulent me voler. Me prendre mon malheur, lui appliquer un baume de formules toutes faites, pour me le rendre dénaturé, sans poésie, sans beauté, insipide.

Alors, je cartographie les lieux. À chaque couleur sa fonction. Bleu, police, pour passer. Jaune fluorescent, soutien psychologique, à éviter. Noir, institut médico-légal, pour la retrouver. Je me précipite vers quelqu'un en bleu, qui me dirige vers quelqu'un en noir, qui me propose un détour par quelqu'un en jaune fluorescent. Je fais mine de ne pas le voir. La mère et la sœur d'Hélène m'accompagnent. Le chemin est interminable. Quelques mètres comme une éternité.

De longues aiguilles de pluie glaciale nous transpercent le visage. Chaque personne que je croise récite son texte à la lettre. Acteur d'une pièce jouée et rejouée, vaudeville lugubre, comédie dont les ressorts sont fatigués.

« La mort » est à l'affiche aujourd'hui, pourtant cette marche n'est pas une procession funéraire, ça n'est pas le moment. C'est un jour heureux, le retour de l'être aimé.

À l'intérieur du bâtiment le carrelage est usé, les mines des employés aussi. Il fait froid. On m'a proposé dix fois de m'asseoir depuis que je suis arrivé ; je refuse, de peur de ne plus pouvoir me relever. Debout, j'attends.

Bureau. Paperasse. Les familles défilent devant nous. Ceux qui nous précèdent sont une quinzaine, ils sortent de là effondrés.

« Vous venez voir Luna-Hélène Muyal ? »

C'est à nous.

La salle dans laquelle on nous mène est plus chaleureusement décorée. L'antichambre de la mort ne ressemble pas à ce que j'avais imaginé. Pourtant, derrière les lattes qui recouvrent l'ensemble de la pièce, du sol au plafond, j'entends couler le sang des morts. D'un instant à l'autre, je l'imagine faire céder les murs de lambris, et nous inonder peu à peu. Des pieds à la tête. Noyés dans un bain de sang. En réalité, nous l'étions déjà.

Une jeune femme s'adresse à nous. Sa voix trahit son habitude. « Moments difficiles… circonstances terribles… travail de la police… » Tous ses mots semblent usagés, une compassion de seconde main. Ses silences sont calculés, ses gestes préparés, son sourire paraît tout droit sorti du manuel

du « petit croque-mort illustré ». Chapitre V :
« Annonce à la famille ».

Je ne suis qu'un parmi tant d'autres.

Je ne l'écoute que par intermittence. Hélène
est là, juste à côté. Je peux la sentir. Je voudrais
la voir seul.

La mère et la sœur d'Hélène me comprennent.
Elles savent que, même là, c'est d'abord nous
deux. Ensemble pour ce dernier instant, juste elle
et moi. Pas la fille de quelqu'un, la sœur, la meil-
leure amie, ou celle qui a été tuée au Bataclan.
Je veux qu'elle soit à moi, rien qu'à moi. Comme
avant.

Nous étions comme deux petites briques de
plastique que les enfants s'amusent à emboîter,
faits l'un pour l'autre. Notre « il était une fois… »
avait commencé un 21 juin, par la musique, soir
de concert. Comme toujours au début des grandes
histoires, je pensais qu'elle ne voudrait pas de
quelqu'un comme moi. Je la trouvais trop belle,
trop parisienne, trop tout, pour moi qui n'étais

rien. Je l'ai prise par la main. Nous nous sommes laissés engloutir par la foule et le bruit. Jusqu'au dernier moment j'ai cru qu'elle m'échapperait. Puis nous nous sommes embrassés.

Ensuite, tout a été très vite. Je lui ai dit que nous irions à New York, que le temps nous appartenait, que ma bonne étoile nous guiderait. Elle m'a dit qu'elle m'aimait.

Une histoire comme une autre. Nous étions juste assez lucides pour nous rendre compte de la chance que nous avions, assez fous pour tout miser dessus. Cet amour était notre trésor.

La porte s'ouvre.

« Vous me direz quand vous serez prêt ? »

Elle est là. J'avance vers elle, me retourne, vérifie que nous sommes seuls. Ce moment est à nous. Une vitre nous sépare. Je m'y presse de tout mon poids. Notre vie à deux défile devant mes yeux. J'ai l'impression de n'en avoir jamais eu d'autre. Hélène était la lune. Une brune à la peau de lait, des yeux qui lui donnaient un air de chouette effarouchée, un sourire dans lequel tenait le monde entier. Je revois celui qu'elle affichait le jour où nous nous sommes mariés.

Mais les plus beaux moments de notre vie ne sont pas ceux que l'on colle dans les albums souvenirs. Je me souviens de tous ceux où l'on prenait juste le temps de s'aimer. Croiser un couple de petits vieux et vouloir leur ressembler. Un éclat de rire. Un matin blanc à lézarder dans le creux des draps.

Ces moments les plus insignifiants, où il n'y a rien à montrer, rien à raconter, sont les plus beaux. Ce sont eux qui peuplent ma mémoire.

Elle est aussi belle qu'elle l'a toujours été.

Fermer les yeux d'une personne décédée, c'est lui rendre un peu de vie. Elle ressemble à celle que je regardais s'éveiller chaque matin. J'ai envie de m'allonger près de son corps langoureux, la réchauffer, lui dire qu'elle est la plus belle femme que j'aie jamais rencontrée. Fermer les yeux à mon tour et attendre que Melvil nous appelle, qu'il vienne se tortiller dans nos draps froissés.

Hélène me demandait souvent si l'amour se partageait. Si après l'arrivée de notre enfant, je l'aimerais autant. Après sa naissance, la question ne s'est plus posée.

Je pleure, lui parle, j'aimerais rester une heure encore, une journée au moins, une vie peut-être. Mais il faut la quitter. La lune doit se coucher. Le soleil, ce 16 novembre, se lève sur notre nouvel « il était une fois… ». L'histoire d'un père et d'un fils qui s'élèvent seuls, sans l'aide de l'astre auquel ils ont prêté allégeance.

« Monsieur, il faut la laisser… »

La partition peut commencer

16 novembre
11 h 00

Je sors à peine de l'institut médico-légal. La voir
m'a fait du bien. Ça faisait deux jours qu'elle était
seule dans la nuit profonde qu'avaient fait tomber
les terroristes sur Paris. La Ville Lumière s'était
éteinte en même temps que ses yeux s'étaient fer-
més. Des yeux immenses pour voir le monde dans
son entier. Des yeux immenses qui ne verront plus
son fils se lever.

Depuis que j'en suis sorti, je n'ai qu'une idée en
tête, aller chercher Melvil à la crèche. Le retrouver, lui dire que j'ai vu sa mère et que je l'ai
emportée avec moi. Je lui ai ramené sa maman,

elle n'est plus perdue, elle est dans le creux de ma main et elle revient avec nous à la maison.

Mais il faut prendre un café avec la famille d'Hélène pour parler de la suite, les funérailles, la police, le soutien psychologique, toutes ces tracasseries administratives qui polluent le chagrin. Ce chagrin, on l'imagine pur et détaché de toute contingence matérielle, la réalité d'un enterrement reprend très vite ses droits. Même pas le temps de prendre conscience de ce qui vous est arrivé que le défilé des « désolés » en costume noir a déjà commencé.

« Il faut que tu ailles aux pompes funèbres, si tu veux je peux t'aider. »

Silence.

Depuis vendredi soir, j'avais pratiquement perdu l'usage de la parole. Les phrases de plus de trois mots me fatiguaient. J'étais exténué à l'idée de devoir mettre bout à bout des mots qui seraient le fruit d'une pensée. De toute façon, j'étais incapable de penser.

Dans ma tête il y avait elle que je n'avais pas retrouvée, lui que je devais préserver et ce bourdonnement qui brouillait tout le reste. Même à des questions simples, je répondais par un silence. Au mieux certains avaient-ils droit à des grognements plus ou moins appuyés à partir desquels ils devaient comprendre si j'avais faim, si je voulais qu'ils restent avec moi ce soir ou si j'avais besoin de feu pour allumer une cigarette. Depuis que je l'ai retrouvée, le bourdonnement commence à s'atténuer et ma langue à se délier.

« Il va falloir faire attention à ne pas se faire avoir, comparer les prix, on peut venir avec toi si tu veux !

– Je dois m'en occuper seul.

– Y'en a qui profitent de la mort des autres pour les arnaquer ! »

On y va. Il faut que j'aille chercher bébé.

C'est dans la voiture du retour que ça commence. Mon beau-frère qui nous conduit voit mon pied taper frénétiquement le plancher de la voiture et me dit pour me rassurer : « Tu seras à l'heure à la crèche, ne t'inquiète pas. »

Ce n'est pas le stress d'être en retard qui dicte ces mouvements, ce sont les mots qui imposent leur rythme. Les uns après les autres ou tous à la fois. Ils entrent, certains sortent, certains s'accrochent, ceux qui restent en appellent d'autres et chacun commence à jouer sa petite musique. Comme les quelques secondes avant qu'un orchestre se mette à jouer. On entend des sons épars, dissonants, libres, puis d'un coup les notes se mêlent et remontent votre colonne vertébrale, de plus en plus fort jusqu'au silence absolu, la partition peut commencer.

Je suis heureux de le retrouver. Mon sourire en poussant la porte de la crèche se heurte à une armée de mines déconfites et de bras ballants. Au milieu de ce qui ressemble à une légion napoléonienne un jour de retraite de Russie, il se tient debout.

Melvil est le seul qui, ce jour-là, a pu répondre à mon sourire par un sourire. Le seul qui, ce jour-là, a vu que j'avais sa maman avec moi. Nous rentrons à la maison par le chemin qu'il adore, celui où nous croisons le plus de panneaux de signalisation, son autre passion avec les livres, la musique et l'ouverture et la fermeture obsessionnelle de portes. Il lève le bras : « Interdit de stationner ! » Il lève à nouveau le bras moins de quinze mètres plus loin... Encore « Interdit de stationner ! » Et ainsi de suite...

Maison, déjeuner, change, pyjama, sieste, ordinateur. Les mots continuent d'arriver. Ils viennent d'eux-mêmes, pensés, pesés mais sans que j'aie à les convoquer. Ils s'imposent à moi, je n'ai plus qu'à les prendre.

Je les ai choisis chacun, mariés ensemble, séparés parfois et, après quelques minutes dans la peau d'un entremetteur, la lettre est là : « Vous n'aurez pas ma haine ».

J'hésite quelque temps avant de la poster, puis mon frère m'oblige à faire ce que je ne faisais plus depuis deux jours.

« Le déjeuner est prêt. Viens manger ! »

Pas le temps d'y penser, pas l'envie d'y revenir. Facebook, au travers duquel j'échange avec
des amis d'Hélène dont je n'ai pas le numéro,
est ouvert dans l'onglet juste à côté. « Exprimez-
vous », copier, coller, publier, mes mots ne
m'appartiennent déjà plus.

« Vous n'aurez pas ma haine »

Vendredi soir vous avez volé la vie d'un être d'exception, l'amour de ma vie, la mère de mon fils mais vous n'aurez pas ma haine. Je ne sais pas qui vous êtes et je ne veux pas le savoir, vous êtes des âmes mortes. Si ce Dieu pour lequel vous tuez aveuglément nous a faits à son image, chaque balle dans le corps de ma femme aura été une blessure dans son cœur.

Alors non je ne vous ferai pas ce cadeau de vous haïr. Vous l'avez bien cherché pourtant mais répondre à la haine par la colère ce serait céder à la même ignorance qui a fait de vous ce que vous êtes. Vous voulez que j'aie peur, que je regarde mes concitoyens avec un œil méfiant, que je sacrifie ma liberté pour la sécurité. Perdu. Même joueur joue encore.

Je l'ai vue ce matin. Enfin, après des nuits et des jours d'attente. Elle était aussi belle que lorsqu'elle est partie ce vendredi soir, aussi belle que lorsque j'en suis tombé éperdument amoureux il y a plus de douze ans. Bien sûr je suis dévasté par le chagrin, je vous concède cette petite victoire, mais elle sera de courte durée. Je sais qu'elle nous accompagnera chaque jour et que nous nous retrouverons dans ce paradis des âmes libres auquel vous n'aurez jamais accès.

Nous sommes deux, mon fils et moi, mais nous sommes plus forts que toutes les armées du monde. Je n'ai d'ailleurs pas plus de temps à vous consacrer, je dois rejoindre Melvil qui se réveille de sa sieste. Il a dix-sept mois à peine, il va manger son goûter comme tous les jours, puis nous allons jouer comme tous les jours, et toute sa vie ce petit garçon vous fera l'affront d'être heureux et libre. Car non, vous n'aurez pas sa haine non plus.

Le maître du temps

17 novembre
10 h 45

On sonne.

Je n'attends personne. J'observe par le judas.
Un homme est à la porte. Il a les oreilles décollées.
C'est le seul détail notable de son visage. Ses yeux,
sa bouche, son nez, tout le reste semble avoir été
organisé pour lui permettre de passer inaperçu. Il
est tout le monde et personne à la fois. J'ouvre.

« Bonjour, monsieur... »

Il porte un uniforme gris fatigué. Un carton
dans sa main droite, sur lequel repose une feuille

de papier. Je le regarde longtemps, de haut en bas, indifférent. Il me fixe, un peu gêné. Puis il finit par lâcher.

« C'est pour le compteur EDF. »

J'aurais dû me souvenir de la lettre annonçant sa visite. Hélène l'a accrochée en évidence sur notre réfrigérateur. Je passe devant plusieurs fois par jour. Mais ces derniers temps je suis aveugle au monde.

« Est-ce que je peux entrer ? »

Je pensais que si un jour la lune disparaissait, la mer se retirerait pour qu'on ne la voie pas pleurer. Que les vents cesseraient de danser. Que le soleil ne voudrait plus se lever.

Il n'en est rien. Le monde continue de tourner, les compteurs d'être relevés.

Je me décale, silencieux, de l'embrasure de la porte. Le regarde s'avancer devant moi. Il entre chez nous avec ses gros sabots de vivant. Je ne lui indique pas le chemin. Il sait ce qu'il a à faire. Il l'a déjà fait dix fois aujourd'hui, mille fois peut-être cette semaine, il n'a fait que ça toute sa vie. Je le regarde agir de loin. J'ai envie de lui dire que ce n'est pas le moment. Il n'est pas le bienvenu. Il vient me crier dans les oreilles que dehors la vie a repris son cours. Et je n'ai pas envie de l'entendre.

Depuis vendredi, le seul maître du temps c'est Melvil. En chef d'orchestre, il rythme nos vies à la baguette. Les réveils, les repas, les siestes, les couchers. Qu'importent les heures, il décide quand l'univers doit se lever, et je m'y plie pour que son monde reste intact. Tous les jours, je joue la même symphonie dont il est le métronome, prenant bien soin de respecter chaque note. Lever. Câlin. Petit déjeuner. Jeux. Promenade. Musique. Déjeuner. Histoires. Câlin. Dodo. Lever. Goûter. Promenade. Courses. Musique. Bain. Soins. Dîner. Histoires. Câlin. Dodo.

Je n'ai rien trouvé d'autre pour lui dire que la vie continuerait malgré tout. Me raccrocher à nos habitudes, c'est laisser à la porte le terrible et le merveilleux. L'horreur de cette nuit-là et la compassion qui s'est précipitée à ses trousses. La blessure et les pansements qu'on a voulu poser dessus. L'une et l'autre n'ont pas leur place dans notre petite vie déjà bien remplie.

Parfois les barrières tombent. Sans fracas. Derrière « Allez, c'est l'heure du goûter », Melvil décèle un sanglot contenu. Mon cœur bat trop vite. Il sait que papa a mal. Il voit apparaître le trou béant de notre vie. Un monstre invisible en sort pour nous y entraîner. Nous pleurons. Le trou se referme peu à peu. Nous sommes toujours là. Le chef d'orchestre et son soliste. Notre petit manège se répète chaque jour, sans fin.

Cet homme qui regarde le compteur dans la cuisine, c'est une fausse note. Je l'observe et j'attends ce moment où il va comprendre qu'il n'est pas au diapason. Lui se contente de noter soigneusement des chiffres sur sa feuille. J'ai envie de le mettre dehors. Pourtant, je n'en fais rien. Je reste dans l'embrasure et m'incline devant le monde qui continue de tourner. Devant la vie qui pénètre malgré moi dans notre appartement.

Devant ces inconnus qui me rappellent que je n'ai pas le choix, que je suis encore vivant.

« Ça y est, c'est fini monsieur. »

La porte se referme. La note est juste à nouveau. Il faut aller chercher Melvil à la crèche.

Les petits plats maison

18 novembre
11 h 30

La directrice de la crèche me retient avant que, tétine à la bouche et cigarette au bec, on ne se sauve, Melvil et moi.

« La maman de Salomé a laissé de la soupe maison pour vous... »

Après le décès d'Hélène, des inconnus du monde entier m'ont proposé de garder mon fils, on nous a invités à passer des vacances aux quatre coins de la planète, on lui a envoyé des chaussettes, un bonnet, des cadeaux et des chèques que je n'ai jamais déposés.

Les mamans de la crèche, elles, se sont mobilisées dès le mardi matin. Toutes entières encore à leur maternité elles ne peuvent se résoudre à nous imaginer, nous, deux pauvres mecs seuls dans une grande maison sans maman. Elles ont trouvé comment nous aider sans que ni Melvil ni moi n'ayons notre mot à dire.

Chaque jour lorsque je pousse la porte de la crèche, j'entends : « C'est la maman de qui ? » C'est le papa de Melvil. Et parce que nos enfants ont le même âge, parce qu'elles savent comme c'est difficile d'élever un bébé, parce qu'elles connaissent les liens que tisse une mère avec ses enfants, elles ont vu en moi l'homme, le papa qui ne sera jamais une maman. Celui qui ne saura pas tout faire, tout seul, avec un bébé. J'ai lu dans leurs yeux l'inquiétude. Alors que tout le monde m'imagine en super-papa, elles savent que je suis un simple papa.

« Je vous la mets dans un sac ? »

Je m'attends à voir apparaître un petit pot de verre pour un soir. Sort du réfrigérateur un gigantesque Tupperware rempli à ras bord de potage carotte-pomme de terre-potimarron moulu et remoulu avec soin.

« Demain, c'est la maman de Yana qui vous déposera quelque chose. »

Ça a commencé comme ça.

On est rentrés à la maison, nous deux, avec notre gigantesque petit pot. Le lendemain, j'ai récupéré Melvil avec un deuxième Tupperware, carotte-potiron-épinards cette fois.

Puis la brigade des mamans s'est déployée. Trop de propositions pour le tout petit estomac d'un garçon de dix-sept mois. Il a fallu s'organiser. Chacune son tour.

Jeudi, j'avais dans le petit sac en sortant de la crèche, pas un mais deux petits pots de verre. La maman de Manon a méticuleusement recouvert le premier d'un petit carré de tissu sur lequel elle a indiqué les ingrédients qu'il contient. Carotte-potiron-haricots verts. Autour du second, elle a noté sur une feuille de papier « Purée de brocolis, pommes de terre, maïs, ail et viande d'agneau hachée ». Elle a dû s'y reprendre à plusieurs fois, choisir soigneusement la couleur des couvercles et du petit élastique qui retient le menu. Comme si tout ce qu'elle avait voulu nous donner à nous, à moi, débordait de ce pot décidément trop petit et se retrouvait sur cet oiseau en origami qu'elle avait déposé dans le sac. Comme si elle avait voulu être là au moment de l'ouverture. Comme si elle avait voulu s'assurer que, même après ça, même avec ça, mon intérieur était tenu. « Bon appétit Melvil, de la part de Manon et sa maman. »

Le petit pot du vendredi est devenu celui de la maman de Victor. Sa spécialité, c'est la compote pomme-poire légèrement caramélisée. Elle glisse toujours dans le sac, avec les repas, un mot doux : « Chers Antoine et Melvil, vous pouvez compter sur moi. »

Le vendredi, c'est aussi le jour où je dois rendre les petits pots. La directrice de la crèche, qui gère le planning des offrandes, me rappelle à l'ordre. Il faut tout laver, tout sécher et tout remettre

dans le petit sac que je récupère le lundi suivant
à la sortie.

Les choses se sont donc organisées comme ça.
Sans rien me dire, les mamans de la garderie se
sont débrouillées pour que Melvil ait chaque jour
des petits plats qui ont le goût de l'amour d'une
maman.

Quand Hélène était enceinte, nous nous étions
jurés de devenir les meilleurs parents du monde.
Nous nous sommes résolus à être de bons parents,
abandonnant notamment nos ambitions culinaires.
Melvil s'est habitué aux petits pots de supermar-
ché. Première cuillerée du potage « maman de
Salomé », parquet. Deuxième cuillerée, pyjama.
Troisième, mur. Ce sera la dernière.

Melvil n'a jamais mangé un seul de ces petits
plats maison. Je vidais les Tupperware dans l'évier.
Une fois lavés, je les rapportais, affirmant que
Melvil avait tout mangé.

« Melvil a aimé sa soupe ? » Après une petite
moue d'approbation, un peu gêné de ce mensonge

qui ne faisait de mal à personne, je prenais soin d'afficher un sourire gourmand qui leur ferait plaisir. « Oui, il a tout avalé », et Melvil de pousser à ce moment-là un petit cri de dégoût.

J'ai laissé ce petit manège continuer autant qu'elles en auraient besoin. Elles désiraient donner un peu de l'amour d'une maman à un enfant qui en manquerait tellement, je le prenais, qu'importe qu'il mange ou non ces potages. Je comprenais aussi que mon fils, s'il n'aura plus l'amour de sa mère, aura la tendresse de toutes les autres, dans des petits pots pleins de compote.

Je n'ai pas eu le courage de leur dire que Melvil n'a jamais dégusté leurs petits pots maison, et qu'ils ne pourront pas habiter la sienne. Peut-être parce que, même encore pleins et posés sur le buffet, ils nourrissent nos cœurs d'une tendresse maternelle aux notes sucrées.

N.

19 novembre
21 h 00

Ce soir N. m'a écrit. On ne s'est pas parlé depuis que je lui ai annoncé la mort d'Hélène. Il veut me voir. Je l'attends attablé en terrasse. Autour de moi le brouhaha habituel d'un café parisien un soir de semaine. Comme avant. J'aperçois sa silhouette au coin de la rue. Il boite. Il garde comme témoignage de l'horreur de vendredi une fesse trouée. Je prépare un air de circonstance. Je me ravise aussitôt. Je n'ai pas envie de jouer.

Je le prends dans mes bras, c'est le plus grand sourire que j'ai vu depuis vendredi. Un sourire qui ne peut pas se retenir de dire « Je suis vivant ».

Oui, il est vivant. Il s'installe et presque aussitôt se met à tout me raconter. Le début du concert. La bière au bar. Le monde dans la fosse. Et puis les coups de feu. Les bruits, les odeurs, les corps. Aucun détail ne m'est épargné, il ne peut plus s'arrêter et me force à regarder en accéléré le film qui m'a volé ma vie.

Je l'ai appelé ce soir-là, dix fois, cent fois, mille fois. Sûrement pendant. Sûrement après. Et quand, enfin, il a décroché, je voulais juste qu'il me dise qu'elle allait bien. Que tout allait bien. Qu'elle était avec lui. Que peut-être elle était blessée, mais qu'elle s'en sortirait. Je voulais qu'il me raconte qu'ils avaient pu s'échapper et courir dans la nuit parisienne. J'entendais déjà le rire nerveux des deux survivants. J'attendais qu'il me réveille de mon cauchemar.

« Je ne peux rien te dire. »

Un silence aussi lourd que les mots qu'il me réserve pour ces retrouvailles. Et, avec ce silence, l'horizon du doute s'est déployé tout entier. Le désespoir le plus noir et l'espoir le plus fou. Hélène, morte et vivante à la fois.

Maintenant on sait. Alors, entre deux péripéties de l'histoire dont il est le héros, je comprends pourquoi il ne m'a pas annoncé qu'elle était déjà partie, dans ses bras. Je comprends qu'il n'est pas encore ce survivant que je vois. Il est toujours là-bas, coincé dans cette scène qui n'en finit pas de se jouer. Et quand il s'excuse de n'avoir pas pu me dire, je ne lui en veux pas. Dans son film, les personnages ne meurent pas. Mais ce n'est pas son film. Ce 13 novembre, c'est l'histoire de la lune qui ne se lèvera plus. Il ne le sait pas encore.

Minute après minute, je suis l'histoire. J'entrevois le décor. J'enregistre calmement. Je sais que Melvil me demandera bientôt comment sa maman est partie, je sais qu'il voudra tout savoir. Alors, je suis sage. J'écoute en spectateur le drame de ma vie qui a déjà commencé, qui n'a pas attendu son narrateur.

Lorsqu'il en a fini, on parle de choses et d'autres pour faire comme si tout ne s'était pas écroulé. On parle de sa fesse, des siestes de Melvil, de sa boutique qu'il a rouverte. Un souffle d'excitation nous parcourt tous les deux, je nous revois adolescents.

La bière est terminée. On promet de ne jamais se quitter.

Bon courage…

20 novembre
10 h 10

Maintenant, lorsque quelqu'un me demande « Comment ça va ? », il n'attend plus de moi une réponse toute faite, celle que tout le monde donne, « Ça va, et toi ? ». Autorisation tacite pour passer à un autre sujet de conversation puisque tout va bien.

Moi, tout le monde sait que tout ne va pas bien, qu'après ma réponse on ne passera pas à la météo du jour, l'émission télé de la veille ou les derniers potins de bureau. Aujourd'hui lorsqu'on me demande « Comment ça va… », le débit est plus lent, et la voix laisse légèrement traîner le

« va » pour éviter un silence gênant. Le visage se penche, en général à droite, un sourcil se relève, en général le gauche, et la bouche se pince comme pour me dire « Je suis prêt à tout entendre ». Il y a ensuite le regard qui tente de plonger en moi comme un enfant sa main dans un bocal de bonbons, pour y récupérer, tout au fond, bien caché, le rose qu'il préfère entre tous. Chez moi, le bonbon rose, c'est mon chagrin.

On veut me rencontrer, me parler, me toucher. Je suis un totem. Évalué, mesuré, quantifié, comme s'il y avait une échelle de Richter de la tristesse et qu'ils étaient convaincus, avec moi, d'être face au « Big One ». Ce tremblement de terre qui n'arrive qu'une à cinq fois par siècle. Magnitude 9. Description : « dévastateur ». Effets : « destruction massive des zones sur plus de mille kilomètres autour de l'épicentre ».

J'ai donc cherché une réponse tout aussi conventionnelle que « Ça va, et toi ? ». Réponse qui aurait le double avantage de clôturer, avant même qu'il n'ait eu lieu, le diagnostic de mon état affectif, et renverrait à celui qui l'a engagée la charge de la conversation. Je me suis arrêté par défaut sur « Comme on peut dans ces moments-là », qui me permettait de descendre une marche de l'échelle. Magnitude 8. Description : « majeur ». Effets : « dommages considérables sur tous les édifices, y compris à des dizaines de kilomètres de l'épicentre ». Mais cela ne suffit pas.

J'esquisse alors un sourire rassurant. Le même pour tous. Lèvres closes, un coin de ma bouche se lève légèrement, l'autre un peu plus, mes yeux se plissent. L'effet est immédiat. Magnitude 7. Description : « très fort ». Effets : « peut provoquer des dommages sévères dans de vastes zones, près de l'épicentre seuls les édifices adaptés résistent ».

Mon « Comme on peut dans ces moments-là » est de ceux-là. Il est cette petite cabane que l'on photographie après la catastrophe, celle qui est encore miraculeusement debout alors que tout est en ruine. C'est pas grand-chose mais ça tient.

Je préserve les apparences. Je prends l'autre par la main, le rassure en lui montrant cette ville de carton qui sert de décor au film que je donne à voir. Les rues y sont propres, les habitants paisibles, la vie semble suivre son cours aussi normalement que possible. Mais les immeubles ne sont que des façades, les habitants des figurants, et, derrière la normalité apparente, rien, plus rien. Sauf peut-être cette angoisse. Qu'adviendra-t-il lorsque tout le monde sera passé à un autre film ? Lorsque je serai seul dans mon décor abandonné ?

« Je suis vraiment désolé pour tout ce qui t'arrive. Bon courage… »

À celui-là, je n'ai pas de réponse toute faite. « À bientôt » est une promesse, « Prenez soin de vous » une invitation, « Bon courage… » une condamnation. C'est me rendre, intact, ce chagrin dont on a essayé de me soulager le temps d'une conversation. Deux petits mots qui réduisent à l'état de cendres ma *Cinecittà* de pacotille. La conversation se termine en général comme ça. Les façades sont tombées, les figurants s'en sont allés, je suis démasqué.

Un bout de doigt

21 novembre
17 h 30

17 h 30 est une heure maudite. Celle qu'on voudrait effacer de nos journées. Une heure entre deux heures qui ne sert à rien. La promenade est terminée. Le dîner pas encore servi. Melvil est trop excité pour jouer. Je suis trop fatigué pour être attentionné. On s'ennuie. On se tourne autour, on s'évite, on se jauge. C'est à qui cédera le premier. On aimerait sentir le temps s'accélérer.

18 h 30, enfin.

« C'est l'heure du bain ! »

Nos visages s'illuminent au moment où je l'annonce fièrement. Le bain est un moment que l'on aime partager. Melvil est un petit poisson dans un aquarium. Je suis le garçon qui vient coller son nez pour le regarder nager. Parfois, je glisse mes doigts dans l'eau pour jouer. Il vient vers la surface me mordiller. Il frétille de plaisir. Les soucis de la journée passée coulent à pic au fond du bocal. Ils créent un limon de peurs, de pleurs et de contrariétés évacué une fois le bain terminé.

Seul, ce n'est plus la même chose. C'était un moment à trois. Un rituel. Je m'occupais de le maintenir, Hélène de le laver. Ensuite on jouait, on chantait, on clapotait, on éclaboussait, on riait.

Aujourd'hui on rit un peu moins. On fait comme si. Comme si tout ça avait encore une raison d'être sans elle. Il m'arrive de l'attendre. Me dire qu'elle va pousser la porte de la salle de bains. Nous rejoindre. Chanter.

« C'est l'heure de sortir ! »

Mon petit poisson s'agite dans mes bras. Il est troublé. C'était elle qui s'occupait de lui à la sortie du bain. Lors d'une danse délicatement chorégraphiée. Ses mains glissaient sur son petit corps impudique. Il agitait ses pieds du bonheur d'être ainsi cajolé. Elle posait son nez sur ce nombril qui était leur lien. Il riait comme lorsque l'on est chatouillé. Elle coiffait ses cheveux comme une petite fille ceux de sa poupée. Il bombait le torse, trop fier de l'attention qu'elle lui portait. À la fin du bal, les partenaires se quittaient d'un baiser.

Ce soir j'apprends un nouveau pas. Il faut couper les ongles. Je ne l'ai jamais fait avant. Et cette fois je ne peux pas attendre le retour d'Hélène. Je l'assois sur mes genoux. Il ne bronche pas. Sa petite main dans la mienne, j'approche les ciseaux ne sachant pas par quel doigt commencer. Il s'impatiente. Je me lance.

Un cri déchire le silence qui s'était installé.

Je le regarde pour m'en assurer. Il me fixe d'un air étonné. C'est bien moi qui ai crié. Je viens de lui couper un bout de doigt. Je n'aurais pas dû commencer par le pouce. j'ai senti une résistance et j'ai insisté. Je l'examine. En fait c'est un bout de peau que j'ai coupé. Son doigt que je voyais déjà amputé est entier, mais il est écorché, à vif. Il ne saigne pas. Je mets son doigt dans ma bouche. J'ai l'impression que c'est son cœur qui bat entre mes lèvres. Un petit cœur doublement blessé.

Et s'il pensait que je voulais lui faire du mal ? Que je l'avais fait exprès ! Et s'il avait peur de moi désormais. D'instinct je me retourne. La cherche du regard. Elle n'est pas là pour me rassurer. Pas là pour me guider. Pas là pour me relayer.

Vertige de solitude. Il n'y a que moi. Et il reste neuf doigts. J'ai honte. Je me sens si petit. Comme un enfant qui aurait voulu jouer au papa, mais qui ne connaît pas les règles. J'ai perdu la partie, c'est un jeu de grand, et j'ai coupé le doigt. J'ai envie de capituler, de ramper sous le lit pour me cacher. Je rêve de ces bras dans lesquels moi aussi je pourrais pleurer. De ces bras qui feront à ma place ce que je suis encore trop petit pour faire. Je ne suis pas à la hauteur.

Il me regarde toujours, de plus en plus surpris. Il ne pleure pas. Il n'a pas peur. Il est là. Je suis là. Nous sommes une équipe. Deux aventuriers. Il attend que j'en finisse pour aller jouer.

Je me lance à nouveau, et j'ai l'impression que c'est lui qui me guide. Tiens, tu vois papa, c'est comme ça qu'on fait. Et on y arrive. Les rognures tombent une à une sur le parquet.

Le droit de sombrer

22 novembre
9 h 00


Je viens juste de déposer Melvil. Il n'a pas pleuré. Je me place légèrement de côté pour qu'il ne me voie pas l'observer, derrière un des carreaux de la façade vitrée de la crèche. Elle est comme un grand bocal dans lequel on regarde des poissons nager. On tapote parfois sur le verre pour se faire remarquer. Il joue déjà avec son livre musical. C'est un voyage, en quelques pages, autour du monde des instruments. Le bandonéon joué par un lama, la balalaïka par un ours, c'est un renard canotier à Venise qui se charge de la mandoline.

À la crèche, tout le monde sait. Lorsque j'arrive le matin, chacun porte un masque. Le carnaval des morts. J'ai beau leur raconter la fable d'un homme qui ne perdra pas pied, je ne parviens pas à le leur faire enlever. Je sais que pour elles je ne suis plus moi, je suis un fantôme, le fantôme d'Hélène.

Melvil est un petit être bien vivant, lui. À peine arrivé, il fait tomber les masques. Il entre sur la pointe des pieds, me dit au revoir, sourit, et d'un éclat de son rire les têtes d'enterrement finissent au fond d'un coffre à jouets.

Il est temps pour moi de rentrer chez nous.

Je prends le courrier avant de monter les escaliers. À peine entrouverte, une volée d'enveloppes s'échappe de la boîte, les papiers de différents formats s'éparpillent autour de moi. Il y a les plis épais, qui renferment de très longues lettres, une vie que l'on partage avec moi. Il y a les grandes enveloppes kraft dans lesquelles je trouve des dessins que des enfants adressent à Melvil. Il y a de simples cartes postales. Pour un moment en tout cas, les mots ont remplacé les avis à payer de la petite boîte.

J'ouvre une première enveloppe. Lis la carte postale qu'elle contient en montant les escaliers. Ce sont des mots gentils venus jusqu'ici des États-Unis. À la porte de l'appartement j'attrape un papier qu'un voisin m'a déposé. « Si vous avez besoin de moi pour votre fils, n'hésitez pas à me demander. Le voisin d'en face. »

Je disperse les courriers sur la table du salon. La couleur d'une des enveloppes m'intrigue. Blanc passé. Une lettre d'un autre temps. Un courrier avec un en-tête. L'homme s'appelle Philippe. J'imagine un monsieur grisonnant attablé à son secrétaire. Je me glisse dans ses mots. Il réagit à ma lettre. C'est beau. Je suis au chaud, lové dans cette enveloppe où il fait bon. Puis, tout en bas, comme une signature, ces mots : « C'est vous qui êtes frappé et c'est vous qui nous donnez du courage ! »

On a toujours l'impression, lorsque l'on regarde quelque chose de loin, que celui qui survit au pire est un héros. Je sais que je n'en suis pas un. La fatalité a frappé, c'est tout. Elle ne m'a pas demandé mon avis. Elle n'a pas cherché à savoir si j'étais prêt pour ça. Elle est venue chercher Hélène, et m'a obligé à me réveiller sans elle. Depuis je ne sais pas où je vais, je ne sais pas comment je m'y rends, et il ne faut pas trop compter sur moi. Je pense à Philippe, l'auteur de cette lettre. Je pense à tous les autres qui m'ont écrit. J'ai envie de leur dire que je suis dépassé par mes mots. Si j'essaie de me convaincre qu'ils sont de moi, je ne sais pas s'ils seront moi tout entier. Du jour au lendemain, je peux me noyer.

Et tout à coup, j'ai peur. Peur de ne pas être à la hauteur de ce que l'on attend de moi. Aurais-je encore le droit de ne pas être courageux ? Le droit d'être en colère. Le droit d'être débordé. Le droit d'être fatigué. Le droit de boire trop et de fumer encore. Le droit de voir une autre femme, de ne plus voir d'autres femmes. Le droit de ne plus aimer, jamais. De ne pas refaire ma vie et de ne pas en vouloir une autre. Le droit de ne pas avoir envie de jouer, d'aller au parc, de raconter une histoire. Le droit de faire des erreurs. Le droit de prendre des mauvaises décisions. Le droit de ne pas avoir le temps. Le droit de ne pas être présent. Le droit de ne pas être drôle. Le droit d'être cynique. Le droit d'avoir des mauvais jours. Le droit de me réveiller en retard. Le droit d'être en retard à la sortie de la crèche. Le droit de rater les petits plats « maison » que je tenterai de faire. Le droit de ne pas être de bonne humeur. Le droit de ne pas tout dire. Le droit de ne plus en parler. Le droit d'être banal. Le droit d'avoir peur. Le droit de ne pas savoir. Le droit de ne pas vouloir. Le droit de n'être pas capable.

# Ranger ses affaires

22 novembre
23 h 00

Tout est à sa place. J'ai juste pris dans le linge
sale les dernières affaires qui portent encore son
parfum. Je les plaque contre mon visage, chaque
soir, pour m'endormir avec cette odeur d'éternité.
Mais pour le reste rien n'a bougé. Je ne peux pas.
Pourtant l'enterrement est dans deux jours et je dois
choisir les vêtements qui vont l'habiller. J'aimerais
qu'elle reste nue. Me glisser dans le cercueil avec
elle, nu moi aussi. Et qu'on ferme cette boîte dans
laquelle nous pourrions enfin nous réchauffer.

Je passe ma main sur les tissus dans la pen-
derie. Chaque matière est un souvenir. La laine

de son long manteau est une promenade dans les bois un matin d'hiver. Elle a le nez rougi, ses yeux dépassent de ses lunettes, une main dans une poche, l'autre au creux de la mienne. Hélène était au présent. Elle était tout entière aux instants qu'elle vivait. Nous avions notre banc dans ce bois. C'est là que je l'ai demandée en mariage. Elle a fait semblant d'être surprise.

Sous un plastique protecteur, une jupe de tulle légère, d'un blanc un peu passé. Le temps a assombri sa couleur. C'était la jupe de notre premier baiser. Les voiles dansaient autour d'elle. Comme des papillons pris dans un filet. Elle était une danseuse de boîte à musique. Ce sera ça. Sous la pierre bientôt, entourée de cadavres envieux, il y aura une petite danseuse qui attendra que l'on ouvre sa boîte. D'en haut Melvil et moi entendrons la musique résonner.

Sur une étagère, le coton de ses tee-shirts. Reliques d'une jeunesse libre, à vivre pour la musique. Led Zeppelin, The Misfits, Sleater Kinney, The Cramps, The Ramones, elle portait le rock'n'roll comme un blason. Transcendée par les riffs et les rythmes qui lui battaient les tempes. Pas de posture. Pas de faux-semblants. Lorsqu'Hélène vous acceptait dans sa bulle, vous vous sentiez privilégié. L'élu d'une âme qui se livrait sans retenue. J'étais celui à qui elle avait tout donné. Le roi de son monde.

Plus haut, j'attrape une chemise colorée, orange joyeux, des petits carreaux blancs pour l'atténuer. Elle en nouait le bas autour de ses hanches, laissant apparaître la naissance de son ventre que j'ai tant embrassé.

Elle était l'été. Chaude, vivante, parfois écrasée par une canicule qui l'accablait. Parfois menacée d'un orage de fin de journée. Mais une saison de liberté. L'été, les nuits sont courtes. On a envie d'aimer.

Tout au-dessus des boîtes d'une collection qui ne faisait que commencer, ses chaussures de mariée. Des escarpins dont les talons n'en finissaient pas

113

de grimper. Lacets de cuir jusqu'au-dessus de sa cheville, laissant deviner un pied qui n'était pas dessiné pour marcher. Hélène était une femme oiseau, et ses chaussures dormaient le plus souvent dans leurs boîtes. Pourtant je les entends encore résonner sur le plancher. Lorsque, un matin de complicité, à demi nue, elle les enfilait juste pour le plaisir de les porter. Peu importait que personne ne la voie à part moi. Elle ne se souciait pas du monde. Elle était le point d'équilibre du nôtre. Tout tournait autour d'elle. La lune était notre planète. Nous étions ses deux seuls habitants.

Sur sa coiffeuse, le flacon de mascara est encore débouché, ses lunettes négligemment posées à côté attendent son retour. Elle se trouvait quelconque. Alors elle se maquillait.

Devant ce miroir elle passait des heures à se préparer. Le rituel était savamment organisé. Préparer la peau, puis le teint, les yeux, la bouche, enfin le blush sur ses joues. C'était un spectacle. Et comme un comédien qui enfile son costume, elle devenait quelqu'un d'autre une fois le masque de lumière posé. La jeune femme douce et réservée devenait une dame aux airs de majesté.

Je les aimais autant l'une que l'autre. L'une habitait en l'autre. Les deux ensemble, c'était elle.

Dans la salle de bains, parfaitement alignés les uns derrière les autres, ses parfums. Ils portent le nom de sa sensualité, *Louve*, *Bas de soie*, *Datura noir*. J'en ai encore le goût dans la bouche, lorsque j'embrassais son corps allongé. Sa bouche était fraîche, ses seins étaient doux, son dos légèrement cambré, ses hanches dessinées. Ensemble, nous avons appris à aimer.

*Louve* était celui qu'elle préférait.

Sur le lit, ses affaires sont posées telles qu'elles le seront au moment de l'inhumer. En les aspergeant de parfum, il me semble les voir se soulever. Sur le tissu inanimé son corps se dessine peu à peu. Ses épaules fragiles, ses jambes, ses mains, ses fesses, ses seins. Elle est là, toute à moi.

Je m'allonge auprès de ce corps invisible. Son souffle caresse mon cou. Elle m'enlace. Pose sa main sur mon visage. Me dit que tout ira bien. C'est la dernière fois que nous pourrons nous aimer.

# Lettre de Melvil

24 novembre
16 h 00

Jour d'enterrement. Melvil est trop petit pour m'accompagner. Je suis seul devant une nuée de tristesse. Je n'ai pas envie de parler, j'en ai déjà trop dit. Alors je prête mes mots à celui qui n'en a pas encore, ma voix à celui qui ne peut pas la faire entendre. Je ne suis plus. Je suis lui.

« Maman,

Je t'écris ce mot pour te dire que je t'aime. Tu me manques. C'est papa qui m'aide parce que je suis un peu petit. Pour lui ne t'inquiète pas, je m'en occuperai bien. Je l'emmène en promenade, on joue aux petites voitures, on lit des histoires, on prend le bain ensemble et on fait beaucoup de câlins. C'est pas la même chose que quand t'étais là, mais ça va. Il me dit que tout ira bien, mais je vois bien qu'il est triste. Moi aussi je suis triste.

L'autre soir on regardait des photos de toi sur le téléphone. On écoutait ta chanson aussi. On a beaucoup pleuré. Papa m'a dit que tu ne pourrais plus revenir me voir. Il m'a dit aussi que maintenant nous étions une équipe tous les deux. Une équipe d'aventuriers. Ça m'a plu comme idée parce que papa me l'a dit avec un vrai sourire. Parce que ces derniers temps quand il me faisait un sourire, c'est comme s'il pleurait.

Papa m'a dit qu'on se débrouillerait et que quand ça n'ira pas, on penserait à toi parce que tu seras là, avec nous. Il a demandé à tous tes amis de m'écrire une lettre que je pourrai lire quand je serai grand. Il m'a dit que nous n'étions pas les seuls à t'avoir aimée, mais que personne ne t'avait aimé aussi fort que nous. Il m'a dit aussi que les enfants n'avaient pas de souvenirs avant trois ans mais que ces dix-sept mois passés avec toi feront de moi l'homme que je deviendrai.

Il y a eu beaucoup d'agitation autour de nous ces derniers temps. Je crois que c'est un peu à cause de papa, mais il n'a pas fait exprès. Il y a des dames qui nous arrêtent dans la rue pour nous dire bonjour, le téléphone n'arrête pas de sonner et je reçois des cadeaux de gens que je connais même pas. Je lui dis que c'est pas grave, que tu nous as toujours aimés comme on était et que tu lui aurais pardonné tout ça.

Il faut que tu me pardonnes moi aussi parce que je n'ai pas pu venir aujourd'hui. Tu me connais je n'aime pas quand il y a trop de grandes personnes. En plus papa m'a dit que c'était long et qu'il faisait froid. Mais papa m'a aussi promis qu'on viendrait te voir demain tous les deux.

Alors voilà, je t'embrasse très fort et j'ai très hâte de te voir demain, après-demain et tous les jours suivants. Tu me manques maman. Je t'aime.

Melvil »

La fin de l'histoire

24 novembre
22 h 00

Ce livre, je l'ai débuté le lendemain de la lettre, le soir même peut-être. Chaque fois que Melvil est à la crèche, je me mets à mon ordinateur pour y expulser tous ces mots qui habitent dans ma tête. Comme des voisins du dessus qui écoutent la musique trop fort. C'est pour les faire taire que je les tape sur mon clavier, pour qu'ils cessent de se battre et me laissent dormir.

Dès qu'ils apparaissent sur l'écran, je les regarde comme des corps étrangers, je les lis pour comprendre, les relis pour me comprendre et finis par les aimer. Je les regarde se tenir la main de loin, j'essaie parfois de les appeler à voix haute, mais je ne peux les atteindre. Les mots ne m'appartiennent déjà plus.

Il a fallu aller vite. Je suis celui qui aime Hélène, et non celui qui l'a aimée. Avant que la mort ne tombe définitivement le rideau sur celui que j'étais, sans rappel, je suis encore ce grand naïf que l'espoir empêche de tomber. Qui sait seulement ce que je deviendrai demain lorsque mon chagrin m'aura laissé tomber ?

Comme un amour passager, une passion dévorante, il ne fera que passer. Reflet vivant de l'amour vécu. Il a sa beauté, son intensité, je l'embrasse, le serre contre moi. Mais je sais qu'il m'a déjà presque quitté.

À la recherche d'un autre amant à tourmenter, il passe son chemin, m'abandonnant à son triste compagnon de route. Le deuil.

J'aperçois sa marque, une tache brune qui naît au creux de mon flanc. Je l'ai déjà vue grandir, au même endroit, il y a quelques années. Celle-ci est plus sombre. Elle se répand plus vite aussi. Ce n'est plus qu'une question de jours, de semaines ; je suis assiégé. Elle recouvre presque l'intégralité de mon ventre. Je n'ai plus le goût de rien, manger est un calvaire.

Elle s'insinuera bientôt dans ma poitrine, poussera sur mon thorax pour m'empêcher de respirer. Pénétrant ce qu'il me reste de cœur, elle déversera ensuite son venin couleur de mort, irriguant chacun de mes vaisseaux. Mes jambes ne pourront plus me soulever, mes genoux seront fixes et mes pieds d'argile. Elle passera par mes épaules pour me les faire baisser, mes bras ne pourront plus porter. Mon corps m'aura lâché, mais il y aura toujours mon esprit. En sursis, pour que je puisse me regarder sombrer.

Mais je n'ai pas peur, je l'attends, je la connais. J'essaie parfois de la convaincre d'être patiente, mais la dame brune est dure en affaires. Méticuleuse, depuis la naissance du cou, elle remontera enfin sur ma gorge, la serrant de plus en plus fort. Mon nez ne reconnaîtra plus l'odeur d'un souvenir. Mes yeux ne verront plus que l'évidence.

J'aurais aimé que mon premier livre soit une histoire, et surtout pas la mienne. J'aurais voulu aimer les mots sans les craindre.

Il m'est arrivé de découvrir ce que j'avais tapé sur mon clavier lorsqu'on me l'a lu. J'ai presque été surpris d'apprendre combien la vie de ces deux petits mecs allait être difficile. J'ai eu envie de les aider. Je les ai aimés aussi tous les deux. Avec leurs coccinelles, leurs petits pots, et les dames de la crèche qui ne remplaceront pas maman.

Je n'ai pas pu raconter, ce n'est pas ainsi que les choses me sont apparues. Je n'ai pas de début, pas de fin, et chaque heure bouleverse mon être tout entier. Mon présent doit devenir passé, et j'erre dans ce quotidien sans temps, dans ces jours sans heures.

Depuis le décès d'Hélène, il n'y a plus de récit, la fin de l'histoire. Il n'y a que ces instants qui surgissent par surprise. Ce sont ces moments qu'il m'a fallu écrire, polaroïds d'une vie qui n'a pas retrouvé son souffle.

J'attends ce soir où, le visage déjà noirci, je profiterai de mes lèvres encore roses pour les poser sur le front de mon fils dans son lit. Un dernier baiser de l'homme que j'étais, celui qui aimait sa mère comme aucun autre, celui qui l'a vu naître les yeux ouverts au monde, celui qui rêvait d'une vie où l'on prendrait le temps de s'aimer. Dernier moment de notre vie d'avant.

Lorsqu'il sera endormi, je m'abandonnerai tout entier dans les bras de l'obscurité.

Demain, nous allons voir sa mère, ce livre est presque terminé.

Il ne me soignera pas. On ne se soigne pas de la mort. On se contente de l'apprivoiser. L'animal est sauvage, ses crocs sont acérés. J'essaie juste de construire une cage pour l'enfermer. Elle est là, juste à côté, attend la bave aux lèvres de me dévorer. Entre elle et moi, des barreaux de papier. Lorsque l'ordinateur s'éteint, la bête est libérée.

Maman est là

25 novembre
7 h 45

Melvil vient juste d'engloutir son biberon. Il a
de l'appétit malgré tout. Assis entre mes jambes,
nous profitons du calme du petit jour dans le
lit encore chaud. Chacun cherche à prolonger le
plaisir. Je lui murmure des chansons douces. Lui
me propose l'inventaire de mon visage ; « le nez
de papa », « la bouche de papa », « elles sont où
les oreilles de papa ? ». Aucun de nous n'a envie
de quitter le confort de ce matin-là.

Il faut se préparer, se laver. Avant, une douche
pouvait se résumer comme ça, de l'eau chaude, du
savon, du shampoing. Ce matin, c'est une aventure

dont Melvil est le héros. Et le grand méchant de l'histoire est un étrange serpent métallique qui crache de ses multiples bouches un liquide chaud et fumant, et fait de papa son prisonnier. Melvil doit tout faire pour me délivrer de cette malédiction. Il fait les cent pas devant la salle de bains afin d'établir un plan d'attaque.

Laisser la porte grande ouverte permet de combattre la fumée qui fuit instantanément.
« Melvil, ferme la porte, j'ai froid ! »
Première victoire.

Mettre les mains, les bras, les cheveux, tout ce qu'il peut sous l'eau semble accélérer la libération de papa.
« Tu vas être tout mouillé... Sors de la salle de bains ! »
Seconde victoire.

Sortir et ne plus faire un bruit est le seul moyen d'être à nouveau appelé au combat.
« Melvil, tu es où mon loup ? Viens ici ! »
Troisième victoire.

Mais son arme secrète c'est le livre d'images. Le serpent métallique arrête de cracher dès qu'il est dans la baignoire.

« Non, pas le livre dans l'eau ! »

Le coup de grâce. Le combat est terminé.

Je craque. Mes nerfs lâchent. Des larmes inondent mon visage. Aujourd'hui, nous allons sur la tombe de sa mère.

Hier, Melvil n'a pas assisté à son enterrement. Trop froid, trop long, trop dur pour un bébé. Et puis, c'est un instant que nous devons vivre seuls. Avant de m'y rendre, je lui ai tout raconté. Que sa maman allait être enterrée, que nos souvenirs vivraient avec nous, mais que son corps resterait là-bas. Je lui ai aussi promis que nous irions ensemble la voir le lendemain.

Pourtant, aujourd'hui, plus ce moment approche, plus j'ai peur. Peur qu'il ne comprenne pas. Peur qu'il comprenne tout. Peur de ne pas l'avoir assez préparé. Peur de lui en avoir trop dit. J'ai peur. Mais il faut y aller.

Ses yeux comme deux billes, il me regarde avec un air de pardon. Il sait que ce n'est pas le livre mouillé qui me fait pleurer. Il essaie de prendre sur lui ce que je n'arrive plus à porter. « Mais tu es trop petit pour ça mon chéri. » Un câlin mouillé suffit à le rassurer, me rassurer.

Il faut se préparer. C'est dans un silence complice que les étapes de notre routine matinale s'enchaînent les unes après les autres. Change, habillage, chaussures, blouson, câlin. Il sait que ce n'est pas un jour comme un autre.

Je prends avec nous une photo d'elle et lui. Je la poserai sur la tombe pour qu'il comprenne que maman est là. Ils sont beaux. Une fusée a beau être dessinée dessus, la tétine ne décolle pas de la bouche de Melvil. Sa tête délicatement penchée pour que sa joue touche celle d'Hélène. À peine, juste un contact, pour sentir sa présence. Elle a un air serein, un sourire intérieur, un regard confiant. Le temps est à nous. Nous sommes dans le train des vacances.

Claquer la porte de l'appartement ce jour-là, c'est laisser une vie derrière nous. Elle nous sera désormais étrangère. Un endroit que l'on n'habite plus. Un endroit que l'on a l'impression de n'avoir jamais habité. Une petite maison à l'intérieur de soi, les odeurs y sont familières, les habitudes installées, on l'aime, on s'y sent à l'aise, mais on ne peut plus y entrer.

On a frappé, gratté la porte, essayé de la défoncer, mais Hélène est enfermée, seule dans notre maison vide. La clef est avec elle, enterrée dans la division n° X du cimetière Montmartre.

Il fait doux aujourd'hui, un nuage s'éloigne, le soleil se déverse sur le cimetière comme si du miel coulait du ciel. Hier encore, c'était du sang qui en tombait. Un sang glacé qui battait le rythme de nos pas en heurtant la foule de parapluies qui peuplaient la grande allée. Aujourd'hui, la procession funeste est terminée. C'est vers notre nouvelle vie que nous marchons.

Melvil me tient la main, il m'arrive à peine à mi-cuisse mais il a l'air si grand. Il s'amuse d'une flaque laissée par la pluie. Ma peur se dilue peu à peu dans l'eau qu'il disperse bruyamment en tapant des pieds. Le jeu est son arme, la prochaine bêtise son horizon, un enfant ne s'encombre pas des choses de grands. Son innocence est notre sursis.

À gauche après la place centrale, la tombe est là. Nous approchons. Nous y sommes. Toute ma vie est sous mes pieds. Elle tient dans quelques mètres carrés de pierre, de froid et de boue. C'est petit, une vie. Je pose la photo au milieu des fleurs blanches qui constellent la pierre. Comme une nuée d'étoiles accrochées à la nuit. Une nuit sans lune. Enfermée dans son caveau, elle ne reparaîtra plus.

« Maman est là. »

Melvil me lâche soudainement la main. Il grimpe sur la pierre. Écrase les roses et les lys qui ne résistent pas à sa détermination. J'ai peur qu'il la cherche. Il continue son chemin dans la jungle des regrets. Agrippe la photo. La prend avec lui. Puis revient vers moi, et me prend la main. Je sais qu'il l'a trouvée.

Il veut partir. Tout de suite, ne pas attendre, ramener maman à la maison avec nous. Je ne résiste pas. Il veut les bras. Je le serre contre moi. Elle est avec nous. Nous sommes trois. Nous serons toujours trois.

En partant je croise la flaque d'eau. Y saute à cloche-pied. Il rit.

Cet ouvrage a été imprimé en France par
CPI
pour le compte des Éditions Fayard
en novembre 2016


Composition et mise en pages
Nord Compo à Villeneuve-d'Ascq

Fayard s'engage pour
l'environnement en réduisant
l'empreinte carbone de ses livres.
Celle de cet exemplaire est de :
0,250 kg éq. $CO_2$
PAPIER À BASE DE    Rendez-vous sur
FIBRES CERTIFIÉES   www.fayard-durable.fr


82-3810-1/18


Dépôt légal : mars 2016
N° d'impression : 138673